携手建设守望相助、共同发展、普遍安全、世代友好的中国—中亚命运共同体

——在中国—中亚峰会上的主旨讲话

（2023年5月19日）

习　近　平

人　民　出　版　社

携手建设守望相助、共同发展、普遍安全、世代友好的中国—中亚命运共同体

——在中国—中亚峰会上的主旨讲话

（2023年5月19日）

中华人民共和国主席　习近平

尊敬的各位同事，

女士们，先生们，朋友们：

欢迎大家来到西安，出席中国—中亚峰会，共商中国同中亚五国合作大计。

西安古称长安，是中华文明和中华民族的重要发祥地之一，也是古丝绸之路的东方起点。2100多年前，中国汉代使者张骞自长安出发，出

使西域，打开了中国同中亚友好交往的大门。千百年来，中国同中亚各族人民一道推动了丝绸之路的兴起和繁荣，为世界文明交流交融、丰富发展作出了历史性贡献。中国唐代诗人李白曾有过“长安复携手，再顾重千金”的诗句。今天我们在西安相聚，续写千年友谊，开辟崭新未来，具有十分重要的意义。

2013 年，我担任中国国家主席后首次出访中亚，提出共建“丝绸之路经济带”倡议。10 年来，中国同中亚国家携手推动丝绸之路全面复兴，倾力打造面向未来的深度合作，将双方关系带入一个崭新时代。

横跨天山的中吉乌公路，征服帕米尔高原的中塔公路，穿越茫茫大漠的中哈原油管道、中国—中亚天然气管道，就是当代的“丝路”；日夜兼程的中欧班列，不绝于途的货运汽车，往来不歇的空中航班，就是当代的“驼队”；寻觅商机的企业家，抗击新冠疫情的医护人员，传递友谊之声的文化工作者，上下求索的留学生，就是当代的友好使者。

中国同中亚国家关系有着深厚的历史渊源、广泛的现实需求、坚实的民意基础，在新时代焕发出勃勃生机和旺盛活力。

各位同事！

当前，百年变局加速演进，世界之变、时代之变、历史之变正以前所未有的方式展开。中亚是亚欧大陆的中心，处在联通东西、贯穿南北的十字路口。

世界需要一个稳定的中亚。中亚国家主权、安全、独立、领土完整必须得到维护，中亚人民自主选择的发展道路必须得到尊重，中亚地区致力于和平、和睦、安宁的努力必须得到支持。

世界需要一个繁荣的中亚。一个充满活力、蒸蒸日上的中亚，将实现地区各国人民对美好生活的向往，也将为世界经济复苏发展注入强劲动力。

世界需要一个和谐的中亚。“兄弟情谊胜过一切财富”。民族冲突、宗教纷争、文化隔阂不是中亚的主调，团结、包容、和睦才是中亚人民的追求。任何人都无权在中亚制造不和、对立，更不应该从中谋取政治私利。

世界需要一个联通的中亚。中亚拥有得天独厚的地理优势，有基础、有条件、有能力成为亚欧大陆重要的互联互通枢纽，为世界商品交换、文明交流、科技发展作出中亚贡献。

各位同事！

去年，我们举行庆祝中国同中亚五国建交30周年视频峰会时，共同宣布建设中国—中亚命运共同体。这是我们在新的时代背景下，着眼各国人民根本利益和光明未来，作出的历史性选择。建设中国—中亚命运共同体，要做到四个坚持。

一是坚持守望相助。我们要深化战略互信，在涉及主权、独立、民族尊严、长远发展等核心利益问题上，始终给予彼此明确、有力支持，携手建设一个守望相助、团结互信的共同体。

二是坚持共同发展。我们要继续在共建“一带一路”合作方面走在前列，推动落实全球发展倡议，充分释放经贸、产能、能源、交通等传统合作潜力，打造金融、农业、减贫、绿色低碳、医疗卫生、数字创新等新增长点，携手建设一个合作共赢、相互成就的共同体。

三是坚持普遍安全。我们要共同践行全球安全倡议，坚决反对外部势力干涉地区国家内政、策动“颜色革命”，保持对“三股势力”零容忍，着力破解地区安全困境，携手建设一个远离冲突、永沐和平的共同体。

四是坚持世代友好。我们要践行全球文明倡议，赓续传统友谊，密切人员往来，加强治国理政经验交流，深化文明互鉴，增进相互理解，筑牢中国同中亚国家人民世代友好的基石，携手建设一个相知相亲、同心同德的共同体。

各位同事！

这次峰会为中国同中亚合作搭建了新平台，开辟了新前景。中方愿以举办这次峰会为契机，同各方密切配合，将中国—中亚合作规划好、建设好、发展好。

一是加强机制建设。我们已经成立外交、经贸、海关等会晤机制和实业家委员会。中方还倡议成立产业与投资、农业、交通、应急管理、教育、政党等领域会晤和对话机制，为各国开展全方位互利合作搭建广泛平台。

二是拓展经贸关系。中方将出台更多贸易便利化举措，升级双边投资协定，实现双方边境口岸农副产品快速通关“绿色通道”全覆盖，举办“聚合中亚云品”主题活动，打造大宗商品交易中心，推动贸易规模迈上新台阶。

三是深化互联互通。中方将全面提升跨境运输过货量，支持跨里海国际运输走廊建设，提升中吉乌、中塔乌公路通行能力，推进中吉乌铁路项目对接磋商。加快现有口岸现代化改造，增开别迭里口岸，大力推进航空运输市场开放，发展地区物流网络。加强中欧班列集结中心建设，鼓励优势企业在中亚国家建设海外仓，构建综合数字服务平台。

四是扩大能源合作。中方倡议建立中国—中

亚能源发展伙伴关系,加快推进中国—中亚天然气管道D线建设,扩大双方油气贸易规模,发展能源全产业链合作,加强新能源与和平利用核能合作。

五是推进绿色创新。中方愿同中亚国家在盐碱地治理开发、节水灌溉等领域开展合作,共同建设旱区农业联合实验室,推动解决咸海生态危机,支持在中亚建立高技术企业、信息技术产业园。中方欢迎中亚国家参与可持续发展技术、创新创业、空间信息科技等"一带一路"专项合作计划。

六是提升发展能力。中方将制定中国同中亚国家科技减贫专项合作计划,实施"中国—中亚技术技能提升计划",在中亚国家设立更多鲁班工坊,鼓励在中亚的中资企业为当地提供更多就业机会。为助力中国同中亚国家合作和中亚国家自身发展,中方将向中亚国家提供总额260亿元人民币的融资支持和无偿援助。

七是加强文明对话。中方邀请中亚国家参与"文化丝路"计划,将在中亚设立更多传统医学中心，加快互设文化中心，继续向中亚国家提供政府奖学金名额，支持中亚国家高校加入“丝绸之路大学联盟”，办好中国同中亚国家人民文化艺术年和中国—中亚媒体高端对话交流活动，推动开展“中国—中亚文化和旅游之都”评选活动、开行面向中亚的人文旅游专列。

八是维护地区和平。中方愿帮助中亚国家加强执法安全和防务能力建设，支持各国自主维护地区安全和反恐努力，开展网络安全合作。继续发挥阿富汗邻国协调机制作用，共同推动阿富汗和平重建。

各位同事！

去年十月，中国共产党第二十次全国代表大会成功召开，明确了全面建成社会主义现代化强国、实现第二个百年奋斗目标、以中国式现代化全面推进中华民族伟大复兴的中心任务，绘就了中国未来发展的宏伟蓝图。我们愿同中亚国家加强现代化理念和实践交流，推进发展战略对接，为合作创造更多机遇，协力推动六国现代化进程。

各位同事！

中国陕西有句农谚，“只要功夫深，土里出黄金”。中亚谚语也说，“付出就有回报，播种就能收获”。让我们携手并肩，团结奋斗，积极推进共同发展、共同富裕、共同繁荣，共同迎接六国更加美好的明天！

谢谢大家。

图书在版编目(CIP)数据

携手建设守望相助、共同发展、普遍安全、世代友好的中国—中亚命运共同体:在中国—中亚峰会上的主旨讲话/习近平 著. —北京:人民出版社,2023. 5

ISBN 978-7-01-025740-2

Ⅰ. ①携… Ⅱ. ①习… Ⅲ. ①习近平-讲话②国际合作-中国、中亚 Ⅳ. ①D2-0②D822.336

中国国家版本馆 CIP 数据核字(2023)第 092556 号

(RMC-ZJDXI-135-20230519)

携手建设守望相助、共同发展、普遍安全、
世代友好的中国—中亚命运共同体

XIESHOU JIANSHE SHOUWANG XIANGZHU GONGTONG FAZHAN PUBIAN ANQUAN SHIDAI YOUHAO DE ZHONGGUO-ZHONGYA MINGYUN GONGTONGTI

——在中国—中亚峰会上的主旨讲话

(2023 年 5 月 19 日)

习 近 平

人民出版社 出版发行
(100706 北京市东城区隆福寺街 99 号)

北京新华印刷有限公司印刷 新华书店经销

2023 年 5 月第 1 版 2023 年 5 月北京第 1 次印刷
开本:880 毫米×1230 毫米 1/32 印张:0.5
字数:7 千字

ISBN 978-7-01-025740-2 定价:2.00 元

邮购地址 100706 北京市东城区隆福寺街 99 号
人民东方图书销售中心 电话 (010)65250042 65289539